두 도시 이야기

글 찰스 디킨스 | 그림 피피 스포지토 | 옮김 윤영

스푼북

파리

아주 오래전 파리에서 알렉
상드르 마네트라는 박사
가 감옥에서 풀려났
어. 그는 무려 18년
을 감옥에 갇혀 있었
지. 사실 뭔가 잘못
을 저질러서 감옥에
갔던 건 아니었어.

그저 자신이 옳다고 믿는 것을 주장했을 뿐이었거든.

그러는 동안 마네트 박사에겐 적이 생겼어. 그를 감옥에 집어넣을 만큼 힘이 센 적이었지. 그때는 부유하고 힘 있는 사람들이 프랑스를 다스리고 있었단다. 평범한 사람들은 계속 가난하고 배고픈 상태였어. 그래서 마음속에 분노와 절망감이 부글부글 끓어오르고 있었지. 정말로 몇 년 안에 거센 혁명이 일어날 것 같았어. 프랑스의 왕과 왕비, 부유하고 힘 있는 사람들을 죽음으로 내몰 혁명 말이야.

우리 이야기는 혁명이 일어나기 몇 년 전, 마네트 박사가 막 감옥에서 풀려났을 때 시작돼. 박사는 파리 빈민가에 있는 선술집* 위에 방을 얻었어. 선술집 주인인 드파르주 부부는 박사와 친구였지.

*선술집: 선 채로 간단하게 술을 마실 수 있는 술집.

마네트 박사는 감옥에 있으면서 생긴 마음의 상처가 있었어. 감옥 생활에서 유일하게 좋았던 점은 신발 만드는 법을 깨우친 거야. 그는 자기가 믿고 할 수 있는 일은 마치 이것뿐이라는 듯 온종일 신발 만들기에 매달렸어.

어느 날, 칙칙한 다락방 문이 열렸어. 거기엔 드파르주 씨와 젊고 아름다운 여인, 그리고 늙은 남자가 서 있었지.

"손님이 왔어요."

드파르주 씨가 말했어.

마네트 박사는 작업대에 앉은 채 고개도 들지 않았어.

"좋은 신발을 볼 줄 아는 신사분이 오셨다고요. 박사님이 만든 신발을 보여 주세요."

자비스 로리라는 이름을 가진 늙은 남자는 다가가 신발을 들어 보았어.

"이게 무슨 종류의 신발

인지, 만든 사람 이름이 뭔

지도 좀 말해 주세요."

드파르주 씨가 부탁했어.

"여성화요."

마네트 박사는 여전히 고개

를 들지 않고 조용히 대답했어.

"만든 사람 이름은요?"

"북쪽 탑 105호."

마네트 박사가 대답했어.

로리 씨는 마네트 박사가 자기 이름 대신 예

전 감방 번호를 말하고 있다는 걸 깨달았어.

"북쪽 탑 105호라고요."

마네트 박사가 반복해서 말했어.

"제가 누군지 알아보시겠어요?"

젊은 여인이 물었어.

마네트 박사는 여전히 일에만 몰두했지.

여인은 그에게 다가갔어. 여인은 젊고 박사
는 늙었지만, 나란히 두고 보니 두 사람은 서
로 매우 닮았어.

박사는 가까이 다가온 여인의 드레스 밑단을 흘끗 쳐다보았어. 그리고 그제야 고개를 들어 여인을 빤히 보았지.

"교도소장의 딸인가?"

　박사가 멍하니 물었어.

　젊은 여인의 이름은 루시였어. 금발이 어깨까지 흘러 내려왔지. 박사는 손을 뻗어 루시의 곱슬곱슬한 머리를 붙잡더니 뚫어지게 쳐다보았어. 루시 역시 박사의 어깨에 손을 얹었단다.

　드파르주 씨와 자비스 로리는 방문 앞에서 숨을 참고 그 모습을 지켜보았어.

박사는 목에 두르고 있던 더러워진 끈을 풀었어. 그 끈에는 꽁꽁 접어 놓은 천 조각이 달려 있었지. 그는 무릎을 꿇은 채 그 천 조각을 조심스레 펼쳤어. 안에서 나온 건 금색 머리카락 두 올이었어.

마네트 박사는 여인의 곱슬곱슬한 금발을 다시 만져 보았어. 그리고 손에 쥐고 있는 머리카락을 또 확인했지.

"둘이 똑같소. 어떻게 이럴 수 있는 거요? 내가 납치되던 날 밤, 그 아이는 내 어깨에 머리를 기댔소. 그리고 북쪽 탑에 끌려왔을 때 내 옷소매에 붙은 머리카락을 발견했다오. 그 아이를 잊지 않으려고 계속 갖고 있었는데……"

마네트 박사는 눈물이 나서 말을 잇지 못했
어. 루시는 두 팔로 박사를 감싸 안았지.

"아버지를 데리러 왔어요. 우리 이제 영국
런던으로 가요."

루시 역시 금방이라도 울 것 같은 목소리
였어.

루시는 마네트 박사의 딸이었어. 어렸을 때 갑작스럽게 아버지와 헤어지고, 다신 아버지를 볼 수 없었지. 영국인이었던 루시의 어머니는 남편이 감옥에 간 직후 세상을 떠났어.

혼자 남겨진 루시는 후견인*인 자비스 로리가 영국으로 데려 갔어. 오랜 시간이 흘러 루시 는 이제야 파리의 다락방에 서 아버지를 다시 만나게 된 거야.

곧이어 아버지 마네트 박사와 딸 루시, 후 견인 자비스 로리는 파리를 떠나는 마차에 올 라탔어. 그들은 드파르주 부부에게 손을 흔들

---

*후견인: 능력이 부족한 사람이나 보호자가 없는 어린아이의 뒤를 돌보아 주 는 사람.

어 인사했단다.

프랑스 칼레 해안에 도착한 그들은 영국 도
버로 향하는 배에 올랐어. 마네트 박사는 아직
도 혼란스럽고 정신이 없었지. 배에는 승객이
몇 없었는데, 그중에 젊고 잘생긴 프랑스인 찰
스 다네이를 만나게 되었어. 찰스 다네이는 마

네트 박사를 불쌍히 여겼고, 루시는 그런 그
가 고마웠어. 찰스 다네이는 줄곧 친절한 모
습을 보이며 작은 배 안에서도 가장 아늑한
곳을 골라 그들을 안내했어.

영국에 도착한 루시와 마네트 박사는 행복한 나날을 보냈어. 날이 갈수록 박사의 상태도 점점 좋아졌지. 루시는 때때로 찰스 다네이가 생각났지만, 다시 볼 수 있을 거란 생각은 하지 못했어.

런던

런던의 형사 재판소는 올드 베일리라는 이름으로 알려졌어. 오늘따라 그곳은 사람들로 북적거렸어. 스파이의 재판을 보기 위해 몰려든 사람들이었지. 사람들은 스파이로 재판받는 사람을 보려고 기를 쓰고 얼굴을 들이밀었어.

피고석*에 서 있는 사람은 스물다섯 살의 젊고 잘생긴 청년이었어. 이름은 찰스 다네이. 4년 전 배에서 마네트 박사와 루시에게

---

*피고석: 법정에서 재판을 받는 입장의 사람이 앉는 자리.

친절을 베풀었던 바로 그 사람이었지.

　문제는 찰스 다네이가 프랑스인이라는 거였어. 영국과 프랑스는 서로를 매우 못마땅하게 여기며 의심했거든. 다네이는 뭔가 수상한 행동을 했다는 의심을 받고 있었어.

마네트 박사와 루시는 다네이의 재판에 증인으로 불려 나왔어. 검사는 다네이가 프랑스 스파이라는 걸 증명하고 싶었어. 다네이가 스파이라는 증거를 찾기 위해 루시에게 질문을 시작했지.

"마네트 양, 피고인을 본 적 있습니까?"

"네, 있습니다."

루시가 대답했어.

"어디에서요?"

"아버지와 함께 영국으로 오는 배에서요."

"배에서 피고인과 대화도 나눴나요?"

"네, 그렇습니다."

"무슨 이야기를 했죠?"

피고석에 있는 찰스 다네이를 애정 어린 눈빛으로 쳐다보던 루시가 대답했어.

"저 신사분은 배에 타자마자……."

"신사라고요? 피고인을 말하는 건가요?"

"네."

"앞으로는 '피고인'이라고 해 주세요."

"피고인은 배에 타자마자 아버지 몸이 편찮으신 걸 눈치챘어요. 그래서 저희를 친절하고 조심스럽게 대해 주셨죠."

"다 쓸데없는 이야기군요. 혹시 피고인이 가

짜 이름을 쓰면서 여행한다고 하지 않던가요?"

"사람들을 위험에 빠트릴 수도 있는 비밀 사업 때문에 여행 중이라고는 했어요. 그래서 본명을 쓰지 않은 거겠죠."

자기 증언 때문에 다네이가 불리해질까 봐 걱정된 루시는 눈물이 났어.

"다네이 씨는 좋은 사람입니다. 확신할 수 있어요."

루시가 애원했어.

"그런 이야기는 됐습니다."

검사는 가만히 있을 수 없었어. 배심원들이 루시의 말만 듣고 찰스 다네이가 무죄라고 생각하면 안 되니까.

검사는 새로운 증인을 불렀어. 새로운 증인은 다네이가 조선소 근처를 서성거리는 걸 보았다고 말했어. 프랑스인 다네이가 거기에서 일하는 군인들과 선원들을 감시한 것일 수도 있다면서 말이야.

　다네이를 변호하는 변호사의 이름은 스트라이버였어. 그 옆에는 단정하지 못한 모습으로 느긋하게 앉아 있는 남자가 있었지. 그 남자가 스트라이버 변호사를 팔꿈치로 쿡 찌르더니 귀에 대고 무언가를 속삭였어. 그러자 스트라이버 변호사가 증인에게 질문했어.

"조선소 근처에서 본 사람이 피고인이 확실
한가요?"

"그럼요."

증인이 대답했어.

"혹시 피고인과 닮은 사람을 본 적 있나요?"

"아니요, 없는데요."

"여기 이 신사분을 잘 봐 주시겠어요?"

스트라이버는 자기 옆에 느긋하게 앉아 있
는 남자를 가리켰어.

"그리고 다시 한번
증인의 얼굴을 봐
주시죠. 두 사람이
무척 닮지 않았습
니까?"

정말 그랬어. 두 사람은 매우 비슷했지. 특히
나 변호사 옆에 있던 단정하지 못한 남자, 시
드니 카턴이 가발을 벗자 더더욱 닮아 보였어.
법정에 있는 사람들 모두가 헉 소리를 내
며 고개를 끄덕였어. 여기저기에서 웅성거리
기 시작했지.

"두 사람이 쌍둥이인가 봐."

"누가 봐도 똑같아!"

"저 증인의 말은 믿을 게 못 되네."

"그래서 저 젊은 여자 증인은 피고인이 무죄
라고 생각했구나."

"정숙하세요!"

판사가 소리쳤어. 법정이 다시 조용해졌지.

프랑스를 위해 스파이 활동을 했다는 찰스 다네이는 무죄인가, 유죄인가? 배심원들은 서로의 의견을 모았어.

긴장된 몇 시간이 지나고, 배심원들의 평결*이 내려졌어. 결과는 '무죄'.

찰스 다네이는 자신을 무척 빼닮은 시드니 카턴에게 감사 인사를 했어.

"별거 아닙니다. 그냥 당신을 돕고 싶었습니다."

카턴이 대수롭지 않게 말했어.

*평결: 평론하거나 평가하여 결정함. 또는 그런 내용.

시드니 카턴은 주변에 무관심한 사람이었어. 스트라이버 변호사의 친구였던 그는 때때로 변호사의 일을 도왔어. 하지만 다른 사람이나 자기 자신에 대해서도 큰 관심이 없었지. 그런데 지금은 찰스 다네이에게 부러운 점이 하나 생겼어. 루시가 피고석의 찰스를 바라보는 눈빛이 예사롭지 않다는 걸 느꼈거든. 이제껏 그 누구도 자신을 그렇게 바라봐 주는 사람은 없었어. 루시의 사랑이 부러웠지만, 한편으로는 다네이를 도울 수 있어서 다행이라고 생각했어.

찰스 다네이와 루시의 사랑은 점점 커졌어.
찰스는 런던에서 프랑스어를 가르치는 걸로 돈
을 벌었어. 종종 루시와 아버지가 사는 집에도
방문했지.

마네트 박사는 젊은 프랑스인과 사랑에 빠진 딸을 보며 흐뭇했어. 남자도 딸을 많이 아끼는 것 같았거든. 딸과의 결혼을 허락해 달라던 남자들이 여럿 있었지만, 박사가 결혼을 허락해 준 사람은 찰스 다네이밖에 없었지.

결혼식 날 아침, 다네이는 마네트 박사와 긴밀하게 대화를 나누고 싶어 했어. 그리고 잠시 후 방에서 걸어 나온 박사의 얼굴은 자기 머리카락만큼 새하얗게 질려 있었지.

곧 장인과 사위가 될 두 사람 사이에 무슨 일이 있었던 걸까? 도대체 어떤 대화가 오고 간 걸까?

그건 아무도 알 수 없었어. 결혼식도 예정대로 치러졌지. 신혼여행을 떠나기 직전 마네트 박사와 루시는 부둥켜안았어.

"우리 딸을 잘 부탁하네."

마네트 박사가 말했어.

시간이 흘렀어. 루시와 찰스 다네이는 마네트 박사와 함께 런던에서 행복한 생활을 하고 있었지. 둘은 귀여운 딸도 낳았어. 엄마를 닮은 금발이 예쁜 딸이었지.

시드니 카턴도 종종 그들의 집에 놀러 왔어.

카턴과 다네이 가족들은 사이가 좋았어. 특히

시드니 카턴은 루시를 매우 좋아했어. 루시의

가족까지 모두 다.

하지만 평화로운 런던과는 달리 파리에서는

폭동이 일어날 움직임이 일고 있었어.

파리

어느 날이었어. 드파르주 부부의 집 앞에 수
레가 있었는데 거기에 실려 있
던 와인 한 통이 떨어졌지.
와인 통은 바닥에 닿자마
자 금이 갔고, 레드 와인
이 흙바닥으로 줄줄
흘러나왔지.

갑자기 주변 모든 사람이 하던 일을 멈추고
와인 통이 있는 쪽으로 달려갔어. 어떤 이들은

통에서 흘러나오는 와인을 두 손으로 받으려 했어. 또 어떤 사람들은 어디선가 그릇을 들고 나타나 그 소중한 술을 훔치려 했지. 심지어 깨진 통 조각에 와인이 잔뜩 묻어 있다며 그걸 주워 가서 씹는 사람도 있었어. 너무나 목말랐던 사람들은 땅바닥에 흘러내린 와인까지 핥아 먹을 기세였어!

사람들은 비쩍 마른 허수아비 같았단다. 그들의 손과 입, 다 해진 옷이 온통 빨갛게 물들었어. 분명 와인 때문에 생긴 얼룩이었지만 그 색깔이 꼭 피와 같았지.

이 일이 어떤 신호가 되었던 걸까? 파리의 가난한 사람들이 하나로 뭉치기 시작했어. 마치 거대한 한 마리 생물, 팔다리가 수천 개 달린 생물처럼······.

사람들은 강철로 만든 칼날과 나무 막대기를 허공에 휘둘렀어. 천둥소리 같은 목소리가 좁고 더러운 거리를 가득 메웠지.

드파르주 부인도 뜨개질바늘을 집어 던지고 대신 도끼를 들었어. 벨트에는 권총과 칼까지 꽂혀 있었단다.

"시민 여러분 그리고 친구들이여, 일어납시다! 우린 준비가 됐습니다! 바스티유로 갑시다!"

드파르주 씨가 소리쳤어.

바스티유는 몇 년 전 마네트 박사가 갇혀 있던 감옥이었어. 드파르주 부부의 선술집에서도 그리 멀지 않은 곳이었지. 높은 탑 여덟 개와 담장이 있는 바스티유는 마치 성처럼 보였어.

사람들은 거대한 돌벽 주변으로 몰려들었단다. 군인들도 같이 참가해 대포까지 가져왔지. 연기와 불이 치솟는 가운데 사람들은 감옥의 출입구로 밀고 들어갔어. 그중에서도 드파르주 부부는 앞쪽에 있었어.

일단 안으로 들어간 사람들은 마당을 가로
질러 감옥 안쪽에 흩어져 들어갔어. 그리고
교도관들을 협박해 죄수들을 풀어 주게 했어.

파리의 가난한 시민들은 모두 분노에 가득
차 있었단다. 할 수만 있다면 바스티유 감옥을
맨손으로 조각조각 뜯어낼 것만 같았지.

한편 드파르주 씨는 따로 맡은 일이 있었어.

드파르주 씨는 교도관 한 명을 붙잡고 물었어.

"북쪽 탑 105호가 어디요? 이 감옥에 있는 방 번호, 맞소?"

겁에 질린 교도관이 고개를 끄덕였어.

"이 횃불을 들고 당장 거기로 안내하시오!"

드파르주 씨와 쟈크라는 남자가 횃불을 손에 든 교도관을 따라갔어. 교도관은 돌이 깔린 좁은 복도를 지나 가파른 계단으로 두 사람을 안내했어. 흥분한 사람들의 목소리가 점점 멀어졌지.

한참 후 교도관은 낮은 문 앞에 멈춰 섰어. 그는 열쇠로 문을 따고 벌컥 열어젖혔어. 모두 고개를 숙이고 안으로 들어갔단다.

"여기가 북쪽 탑 105호요."

방 안에는 작은 의자와 탁자 그리고 짚단을 쌓아 만든 침대가 있었어. 벽 높은 곳에는 빗장을 지른 창문이 있었지. 나무 재로 가득 찬 난로도 하나 있었어. 나가거나 들어가는 사람이 없도록 굴뚝 안에도 빗장이 쳐져 있었지.

"이 벽을 따라 횃불을 천천히 훑어 주시오."

드파르주 씨가 교도관에게 말했어.

교도관은 시키는 대로 했어. 드파르주 씨는 불빛을 따라 벽을 찬찬히 살폈어.

"멈춰 봐요! 여기 좀 보게, 쟈크."

"A.M. 알렉상드르 마네트의 머리글자네요." 쟈크가 소리쳤어.

드파르주 씨는 돌벽을 긁어서 써 놓은 글자를 읽기 시작했어. 'A.M.' 옆에는 '불쌍한 박사'라고 적혀 있었어.

"박사님 방이 확실하군."

드파르주 씨가 혼잣말했어.

그는 교도관에게 횃불을 더 높이 들어 보라고 했어. 그러고는 난로 밑에 머리를 들이밀고 굴뚝을 들여다보았지.

드파르주 씨는 미리 가지고 왔던 쇠지렛대로 굴뚝 안에 있는 쇠창살을 긁어 보았어. 돌가루와 검은 가루가 얼굴로 우수수 떨어져도 신경 쓰지 않았지.

굴뚝 안에 숨겨 둔 걸 찾는 걸까? 나머지 두 사람은 그가 뭘 하는지 알 수 없었어. 잠시 후

드파르주 씨는 그을음이 잔뜩 묻은 셔츠 안에
뭔가를 슥 집어넣으며 일어섰어.
  "뭔가요?"
  쟈크가 물었어.
  "아무것도 아니네."
  드파르주 씨가 대답했어.

사실 드파르주 씨가 굴뚝 안에서 찾은 건 마네트 박사가 어두운 감방에서 직접 쓴 글이었어. 어쩌다 이곳에 오게 된 건지, 누가 자길 여기에 잡아넣은 건지 그 글에 다 적혀 있었지.

　오래전 마네트 박사는 상처 입은 젊은이를 치료하기 위해 어딘가로 불려 간 적이 있어.

박사가 간 곳은 으리으리한 저택으로, 사납기로 유명한 생 에브레몽드 후작의 집이었어. 이 탐욕스러운 남자는 자신을 위해 뼈 빠지게 일하는 불쌍한 소작농들을 마음대로 부렸어.

다친 젊은이는 생 에브레몽드의 가족이 아니었어. 후작이 한눈에 반한 아름다운 소작농 소녀의 오빠였지. 후작이 소녀를 데려가려는 걸 소녀의 오빠가 거부하자, 에브레몽드가 그를 칼로 찔렀던 거야. 마네트 박사는 죽어 가는 소녀의 오빠를 위해 할 수 있는 모든 치료를 했지만, 그를 살리지는 못했어.

박사는 후작에게 항의했지만, 후작은 대수롭지 않게 말했대. 저 젊은이의 목숨이 뭐가 중요하냐고. 자기가 재미로 사냥하는 사슴이나 새의 목숨과 뭐가 다르냐고.

후작은 뇌물로 마네트 박사의 입을 막으려고 했어. 잔뜩 쌓여 있는 금화를 내밀며 자기가 젊은이를 죽인 사실을 알리지 말라고 했지. 하지만 박사는 반짝이는 금화를 받지 않았어.

마네트 박사는 프랑스 정부에 편지를 썼어. 하지만 사실 큰 기대는 하지 않았지. 후작 같은 귀족들에겐 권력이 있고 그들은 나라의 보호를 받으니까. 마네트 박사는 다른 응급 상황에도 불려 가 본 적이 있어서 이 사실을 잘 알고 있었단다.

어느 날 후작과 다른 사람들이 마차를 타고
박사를 데리러 왔어. 후작은 박사가 쓴 편지를
랜턴 불에 태워 버렸지. 박사는 그대로 눈가리
개를 한 채 바스티유로 끌려갔어.

그렇게 그곳에서 오랜 시간을 보내게 된 거
야. 홀로 동떨어진 비밀의 감옥, 북쪽 탑 105호
에서.

마네트 박사는 언젠가 자신의 이야기가 밝혀지기를 바랐어. 그래서 후작에게 벌이 내려지기를 기대했어. 그렇게 박사의 글은 에브레몽드 가족에 대한 저주로 끝맺고 있었지.

생 에브레몽드

런던

폭풍 같은 프랑스 혁명에 대한 소식은 바다
건너 런던에까지 전해졌어.

찰스 다네이도 소식을 듣게 되었지.

사실 다네이는 찰스가 직접 지은 이름이었
어. 찰스는 자신의 진짜 이름이 창피했어. 타
고난 가문의 이름이 부끄러웠지. 그의 진짜 이
름은 바로 생 에브레몽드였거든. 마네트 박사
를 감옥에 가둔 후작은 찰스의 삼촌이었고,
찰스의 아버지 역시 좋은 사람이 아니었어.

찰스는 가족들과 그들의 잔인함에 크게 실망했어. 그래서 영국으로 도망을 쳤지. 그리고 이름까지 바꾸고 직접 돈을 벌면서 정직하고 단순한 삶을 살기로 다짐했어.

찰스는 루시와의 결혼식 날 아침, 마네트 박사에게 자신의 진짜 이름을 알려야겠다고 생각했어. 마네트 박사가 창백한 얼굴로 덜덜 떨었던 것도 바로 그 이유 때문이었지. 사랑하는 딸과 결혼할 사람이 자신을 바스티유에 가둔 남자의 조카라니! 하지만 마네트 박사는 찰스 다네이가 좋은 사람이란 것을 알고 있었어. 그의 다른 가족들과는 정말 딴판이었으니까.

그리고 찰스에게는 프랑스로 돌아갈 이유가 없었어. 아버지와 삼촌이 돌아가셨다는 소식도 들었지. 파리 외곽에 있는 저택도 불에 타서 사라졌대.

프랑스 국민들은 잔인하고 나쁜 통치자들에게 대항하여 일어났어. 저택 몇 채를 불 지르고, 부유한 귀족 몇 명을 단두대로 보내는 걸로는 만족할 수 없었어. 프랑스 국민들은 더 많은 걸 원했어. 분노와 복수심으로 가득 차 있었거든. 급기야 그들은 죄 없는 사람들까지 마구잡이로 해치기 시작했어.

찰스의 삼촌인 에브레몽드 후작의 집에는 가벨이라는 하인이 있었어. 가벨은 착한 사람이었지만 에브레몽드 가문과 관련이 있다는 이유로 죽음의 위협을 맞게 되었지.

가벨은 찰스에게 도와달라고 편지를 썼어. 찰스는 위험을 무릅쓰고 가벨을 돕기 위해

파리로 떠났단다. 찰스는 루시와 마네트 박사
에겐 아무 말도 하지 않았어. 말하면 못 가게
막을 것 같았거든. 그 대신 그는 두 사람에게
떠날 수밖에 없는 이유를 편지에 써서 남겼어.
그리고 나서 어느 날 밤, 런던의 집을 몰래 빠
져나와 파리로 향했지.

파리

프랑스에 도착하자마자 찰스는 위험에 빠지고 말았어. 그는 아버지, 삼촌과 마찬가지로 사람들이 몹시 미워하는 귀족이었으니까. 게다가 악명 높은 생 에브레몽드 가문이었으니까.

찰스는 파리로 끌려가 라포르스 감옥에 갇히고 말았어. 라포르스 감옥은 반역자와 귀족들이 재판을 받는 곳이었어. 종종 어떤 이들은 단두대로 끌려가 죽음을 맞기도 했어.

찰스 역시 타고난 이름 때문에 위험한 상황이었어. 하인인 가벨은 풀려났지만, 찰스는 감옥에서 나가지 못했지. 한편 이 소식을 전해 들은 루시와 마네트 박사는 파리로 출발했어. 자비스 로리와 시드니 카턴도 함께 데려갔지. 시드니는 파리에서 공부한 적이 있어서 그 도시를 잘 알았거든. 네 사람은 진심으로 찰스를 구출하고 싶었어.

마네트 박사는 자신이 사람들에게 영향력이 있을지도 모른다고 생각했어. 그 역시 사람들이 깨부수고 싶어 하는 낡은 제도의 희생자니까. 또 불쌍한 사람들을 도와주다가 억울하게 갇혔으니까. 찰스에게 죄가 있다고 주장하는 사람들이 박사의 말에 귀를 기울여 주지

않을까?

　한편 찰스는 법정에 끌려갔어. 태어나서 두 번째로 법정에 선 거였지. 그리고 여러 명의 판사와 검사들 앞에 섰어.

　법정에 모여 있는 사람들은 찰스도 단두대

로 가야 한다고 소리쳤어. 그가 이 나라의 적
이라고 외치면서. 하지만 찰스는 판사의 주장
에 차분하게 대답했어. 자신은 알렉상드르 마
네트의 사위라고 말이야. 그리고 마네트 박사
도 찰스를 변호했지. 이대로라면 일이 잘 해결

되어 찰스도 목숨을 구할 것 같았어. 그런데 바로 그때 놀라운 증인이 나타났어. 정확히는 두 명의 증인이었지.

바로 드파르주 부부였어.

드파르주 부인은 법정 뒤에 앉아 있었어. 부인은 바늘을 마구 휘둘러 뜨개질하면서 자기 남편을 지켜보았지. 드파르주 씨는 박사가

있었던 감방 굴뚝에서 찾은 꾸깃꾸깃한 종이
를 꺼내 보였어.

그렇게 마네트 박사의 이야기가 법정에 울
려 퍼졌지. 생 에브레몽드 후작이 젊은 남자
를 칼로 찔러 죽였다는 사실도 처음으로 밝
혀졌어.

뒤이어 드파르주 부인도 증인으로 나섰어.
부인은 죽은 남자가 자기 남동생이라고 주장
했어. 그리고 자신의 가문이 오래전 망가졌던
것처럼 생 에브레몽드 가문 역시 다 없어져야
한다고 말했어.

마네트 박사가 감옥에서 쓴 글에도 생 에브
레몽드 가문에 대한 저주가 가득했어. 그 집
안의 남자가 나중에 자기 사위가 될 줄은 꿈
에도 몰랐으니까.

복수에 눈이 먼 드파르주 부부는 루시까지

죽이고 싶어 했어. 찰스와 결혼한 루시도 어쨌든 생 에브레몽드 가문의 사람이 되었으니 말이야.

찰스는 라포르스 감옥에서 마지막 밤을 보냈어. 그는 다시 한번 아내와 장인어른에게 편지를 썼어. 마네트 박사에게는 자기 아내와 어린 딸을 잘 보살펴 달라고 부탁했지. 찰스는 그냥 런던에 있었으면 어땠을까 생각하며 괴로워했어.

밖에서 시간을 알리는 종소리가 들렸어. 9, 10, 11……. 저 종소리를 듣는 것도 이게 마지막이었지.

그때 문밖에서 발소리가 들려왔어.

열쇠로 자물쇠를 여는 소리도.

문이 끼익 열렸다가 닫혔어. 그리고 그 앞에 시드니 카턴이 서 있었지.

시드니는 조용히 하라며 자기 입에다 손가락을 갖다 댔어.

"밖에 교도관들이 있소. 내가 그들에게 뇌물을 줬어요."

"여기서 뭐 하는 거요?"

찰스가 물었어.

"서둘러요. 시간이 없어요. 서로 부츠를 바꿔 신어요. 내 목도리를 하고 외투를 입으세요. 빨리요!"

"시드니, 여기서 도망칠 방법이 없어요. 이러다 당신까지 죽어요. 이건 미친 짓이라고요."

"나랑 같이 도망을 치자고 하면 미친 짓이겠죠. 하지만 당신은 그냥 나인 척 나가면 돼요."

찰스는 당황스러웠어.

"그럼 당신은 어쩌려고요?"

"나는 여기 남을 겁니다. 잘 들어요, 찰스. 밖에 자비스 로리가 마차를 갖고 와서 기다리고 있어요. 루시와 마네트 박사도 만나게 될 겁니다. 그리고 내 이름을 사용해서 다 같이 영국으로 도망치세요."

순간 찰스는 솔깃했어. 자유가 눈앞에 있었으니까. 아내와 딸을 다시 볼 수 있을 테니까!

하지만 그는 말했어.

"그럴 수 없어요. 당신은 아무 죄도 없잖아요."

"나는 아내도, 아이도 없습니다. 그리고 내 목숨을 별로 소중하게 생각한 적도 없어요."

시드니가 대답했어.

찰스에게 사형 선고가 내려지자마자, 시드니는 그 사람 대신 죽어서라도 그의 목숨을 구해야겠다고 다짐했어. 올드 베일리에서 꼭 닮은 외모로 그를 구했던 것처럼 이번에도 찰스처럼 행동하면 되겠다고 생각했지.

하지만 찰스가 흔쾌히 허락하지 않을 걸 알고 있었어. 그래서 시드니는 찰스의 주의를 잠시 딴 데로 돌렸어.

그리고 갖고 온 손수건으로 그의 입과 코를 눌렀어. 그 손수건에는 순식간에 잠에 빠져들게 하는 약이 적셔져 있었지.

시드니는 찰스가 잠든 사이 얼른 옷을 바꿔

입었어. 그리고 감옥 문을 두드렸지. 교도관

이 들어오자 시드니는 마치 자기가 찰스인 척

행동하며 말했어.

"제 친구가 여기 있는 제 모습을 보고는 충
격에 빠져 쓰러졌네요. 친구를 정문까지 데려

다주세요. 거기 마차가 기다리고 있을 겁니다."

교도관들은 찰스가 시드니 카턴인 줄 알고

그대로 데리고 나갔어.

계획은 성공적이었어. 찰스는 자비스 로리, 루시, 마네트 박사가 탄 마차에 올라탔어. 검문소를 지날 때마다 혹시나 정체를 들켜 체포될까 봐 두려움에 떨어야 했지. 하지만 빨간 모자를 쓴 군인들과 시민들은 찰스를 보고도 아무것도 눈치채지 못했어. 그저 서류에 적혀 있는 대로 찰스가 런던 출신 변호사인 시드니 카턴인 줄 알았지.

바닷가에 도착한 그들은 영국으로 가는 작은 배에 올라탔어. 마침내 안전해진 거야. 그러나 그들은 자신들을 보호하고 구해 준 이의 이름을 잊을 수가 없었어. 그래서 두 사람은 새로 태어난 아들의 이름을 시드니라 지었어. 시드니 카턴에게 경의를 표하는 마음으로.

그럼 시드니 카턴은 어떻게 되었을까? 찰스의 라포르스 탈출을 도와준 지 몇 시간도 지나지 않아 그는 바로 처형당했어.

단두대 주위에 사람들이 모여들었어. 그들은 너무나 평화롭고 차분한 시드니의 모습에 감명을 받았지.

시드니는 지난 삶을 쭉 돌아보았지만, 조금의 후회도 남지 않았어.

시드니는 생각했어.

'지금 내가 하려는 일은 지금까지 했던 그 어떤 행동보다 훨씬 더

훌륭한 일이야. 지금 내가 죽어서 가게 되는
곳은 내가 알던 그 어떤 곳보다 훨씬 더 좋은
곳일 거야.'

찰스 디킨스

1812년 영국 포츠머스에서 태어났어요. 찰스
디킨스는 소설 속 등장인물들처럼 가난했고
힘든 어린 시절을 보냈어요. 하지만 어른이 된
그는 자신이 쓴 책으로 전 세계에 알려졌고,
그 시대 가장 중요한 작가 중 한 명으로 기억
되고 있답니다.

피피 스포지토 그림

부에노스아이레스에서 태어났으며 늘 그림을 그려 왔어요. 어린 시절엔 공작용 점토로 인물 만들기도 즐겼고, 좀 더 커서는 유머 잡지를 디자인하기 시작했지요. 수많은 실험적 작가들의 원화에 둘러싸여 지내며, 호기심을 갖고 다양한 스타일의 그림을 그렸답니다. 그린 책으로 《크리스마스 캐럴》,《두 도시 이야기》,《위대한 유산》,《올리버 트위스트》 등이 있습니다.

윤영 옮김

서울대학교 미학과를 졸업하고 같은 대학원에서 고고미술사학과를 수료했습니다. 현재는 번역 에이전시 엔터스코리아에서 번역가로 활동 중입니다. 옮긴 책으로는 〈암호 클럽〉 시리즈, 〈복면공주〉 시리즈 등이 있습니다.

두 도시 이야기

초판 1쇄 발행 2023년 6월 27일

글 찰스 디킨스 | 그림 피피 스포지토 | 옮김 윤영

ISBN 979-11-6581-420-5 (74840)
ISBN 979-11-6581-418-2 (세트)

발행처 주식회사 스푼북 | **발행인** 박상희 | **총괄** 김남원
편집 김선영·박선정·김선혜·권새미 | **디자인** 조혜진·김광휘 | **마케팅** 손준연·이성호·구혜지
출판신고 2016년 11월 15일 제2017-000267호
주소 (03993) 서울시 마포구 월드컵북로 6길 88-7 ky21빌딩 2층
전화 02-6357-0050(편집) 02-6357-0051(마케팅)
팩스 02-6357-0052 | 전자우편 book@spoonbook.co.kr

제품명 두 도시 이야기
제조자명 주식회사 스푼북 | **제조국명** 대한민국 | **전화번호** 02-6357-0050
주소 (03993) 서울시 마포구 월드컵북로6길 88-7 ky21빌딩 2층
제조년월 2023년 6월 27일 | **사용연령** 8세 이상
※ KC마크는 이 제품이 공통안전기준에 적합하였음을 의미합니다.

⚠**주 의**

아이들이 모서리에 다치지
않게 주의하세요.